KB104645

음식 놀이 동시집

권화숙, 이정아, 신재림, 이의희
한은숙, 남궁기순, 권숙희, 김차순

상상나래
Book Publishers

차 례

프롤로그

　나래PBL교육연구소에서　기획한　말놀이집「모음　말놀이　동시집」, 「자음 말놀이 동시집」,「의태어 말놀이 동시집」,「의성어 말놀이 동시집」에 이어 5번째「음식 말놀이 동시집」을 출간하게 되었습니다.

　말놀이의 매력은 뭘까요?
　말놀이 동시 작가들의 행복한 말이 주렁주렁 열렸습니다.
　"말놀이는 무병장수 보약이다."
　"동심에 퐁당 빠질 수 있는 행복 놀이터."
　"언어의 마법사이다."
　"먹는 밥이다."
　"말로 하는 놀이다."
　"가장 즐거운 놀이다."
　말놀이에 흠뻑 빠져 말놀이 동시 짓기가 재미있는 이유입니다.
　음식 말놀이 동시는 유아교육 현장에서 아이들을 만나고, 시인으로서, 그림책 연구가로서, 아동문학을 전공한 작가들이 참여했습니다.

　어린이들의 입에서 말놀이가 장단이 되고 추임새가 되어 행복한 놀이가 되었으면 좋겠습니다. 말놀이 동시는 행복한 마음이 고스란히 담겨 아이들의 장난스러운 말투를 흉내 내고, 어린이들이 주도적으로 말놀이를 주고받으며 말의 의미를 탐색하고 놀이를 통해 관계성이 회복되었으면 합니다.

말놀이 동시는 읽으면 읽을수록 어휘력이 길러지고 감성과 민감성을 키울 수 있습니다. 이번 말놀이 동시의 주제는 "음식"이었습니다. 우리 주변에서 만난 음식에 관련된 자료들을 찾아 재미있고 의미 있는 언어로 표현한 8명의 작가의 노력이 담겨 있습니다.

모든 교육에는 골든 타임이 있습니다. 말놀이 동시의 시작은 영아 때부터 시작하여 유아기, 초등학교까지 꼭 필요한 언어지도가 될 것입니다.

이번 말놀이 동시집에는 자음 14개와 쌍자음 5개로 구성하여 80편이 실려 있습니다. 음식 말놀이 동시 80편을 읽다 보면 입 안에서 군침이 돕니다. 읽으면서 먹고 싶은 것이 자꾸 생각나 맛있는 점심 메뉴는 어떤 것이 될까 궁금합니다.

"국수, 김밥, 감, 군고구마, 가래떡, 냉잇국, 냄비우동, 알밥, 냉면, 단무지, 달래, 당근, 대게, 두부, 라면, 라볶이, 레몬, 만두, 미역국, 망고, 문어 빵, 보리밥, 빙수, 배추, 바지락, 백설기, 사과, 수수, 시금치, 오이, 우유 젤라토, 자몽, 자장면, 잡채, 주스, 참치 꼬마김밥, 찹쌀떡, 청포묵, 초콜릿, 치즈, 카레, 땅콩, 콩, 콩나물, 바나나킥, 탕수육, 탕후루, 토란, 톳, 튀김, 팝콘, 팥죽, 프라이드치킨, 피자, 피망, 한라봉, 핫도그, 말미잘, 호박죽, 홍시, 꼬치전, 꽈배기, 떡볶이, 떡국, 뻥튀기, 뿌셔라면, 쑥버무리, 짜파게티, 찐빵, 쫄면…."

책에 담긴 음식 메뉴가 아닌 다른 음식 메뉴가 떠오르나요?

말놀이 동시는 누구나 재미있게 만들어서 놀이할 수 있답니다. 즐거운 언어 놀이를 통해 아이와 함께 즐겁게 지내길 기대해 봅니다.

> "아이들은 부모들이 말하는 것이 아니라
> 부모 그 자체의 행동으로부터 배우게 되는 것이다."
> —Carl Jung—

나래PBL교육연구소 남궁기순 소장

권화숙

문학박사. 국어학 및 한국어교육을 전공하였으며 현재 세명대학교 교수로 재직 중입니다. 동화작가, 다문화 교육 전문가, 문화콘텐츠 기획자, 문인화 작가로 활동하고 있습니다. 경상북도 문화재위원회 전문위원, 충청북도 지명위원회 전문위원, 한국언어문화교육학회/이중언어학회/한국국제문화교류학회 등의 학회 이사로 활동하고 있습니다.

공저로 『인공지능시대의 인문학과 예술적 상상력』, 『중학생이 꼭 읽어야 할 수필』, 『KBS 한국어능력시험』, 『청개구리는 울보 너튜버』, 『만개산 특급 작전』 등이 있습니다.

무엇인감

이게 무엇인감
아삭아삭 떫은 감

요게 무엇인감
달콤달콤 홍시 감

저게 무엇인감
말캉말캉 곶감

국수 삼총사

가닥가닥 가락국수
쪽쪽 당겨 쏘옥

새콤달콤 비빔국수
돌돌 말아 쏘옥

따끈따끈 칼국수
호호 불어 쏘옥

내가 좋아하는
국수 삼총사

군고구마 남매

냠냠냠 꿀고구마
쩝쩝쩝 호박고구마

울퉁불퉁 통에 넣고
활활활 불을 지펴요

노릿노릿 군고구마
따끈따끈 군고구마

동생 한 입 나 한 입
거뭇거뭇 검댕이 입이 되었어요

김밥 친구들

몽글몽글 밥알이네 집에
친구들이 모였어요

아삭아삭 오이
말캉말캉 달걀
사각사각 단무지
몰랑몰랑 시금치

까만 이불 덮고
이리 돌돌 저리 돌돌
아이 어지러워
하늘이 빙글빙글

꿀떡꿀떡 가래떡

쫄깃쫄깃 가래떡
쫀득쫀득 가래떡
다알다알 꿀 발라
한입에 꿀떡꿀떡
찌익찌익 치즈 발라
치즈하며 꿀떡꿀떡

나물 쌈 보약 밥상

오늘 아침 밥상엔
보약이 가득해요

배추 위에
상치 위에
깻잎 위에
된장 마늘

보약 먹고 힘내라고
엄마가 준비하신
나물 쌈 보약 밥상이에요

쌈도 먹고 사랑도 먹어서
나는 이렇게 튼튼하지요

냉면 먹으러 갈까?

이글이글 햇빛이
동그르르 땀방울이

아유 더워, 아휴 더워
냉면 먹으러 갈까?

시원시원 물냉면
비벼비벼 비빔냉면
휘리리릭 회냉면
칙칙칙칙 칡냉면

더위야 물렀거라
냉면이 여기 왔다

넹넹 냉잇국

엄마가 끓여 주신 냉잇국
구수한 된장 한 술
따뜻한 사랑 한 술
맛있니?
넹!
많이 먹어!
넹!

톡톡톡 날치 알밥

지글지글 뚝배기에
따끈따끈 날치 알밥

꿀맛 나는 날치 알밥
냠냠냠 날치 알밥

노오란 날치알이
입 안에서 톡톡톡

어느새 내 입 속은
노오란 바다가 되었어요

따끈따끈 냄비우동

우리 엄마가 그러는데요
냄비우동은
냄비에 담아 먹어서
냄비우동이래요

비오는 날 엄마랑
냄비우동 먹으러 갔어요
엄마는 칼칼한 냄비우동
나는 얼큰한 냄비우동

송송송 파도 들어 있고
쑥쑥쑥 쑥갓도 들어 있고
따끈따끈 국물에 마음도 따끈따끈

후루룩후루룩 맛있게 드시는 엄마
나도 맛난 냄비우동이 되고 싶었어요

이정아

나래PBL교육연구소 연구교수이며 책으로 놀고 책으로 소통하는 그림책지기입니다.

저서 『양말공』, 『시장에 가면』, 『바위먹는 달팽이』, 『괜찮아, 정이야』, 『가장 듣기 좋은 말』, 『황금박쥐』, 『12시간 25분 이다의 여행』, 『자음 말놀이 동시집』, 『의태어 말놀이 동시집』 등이 있습니다.

무지무지 단무지

무지무지 단무지

무지무지 달아서 단무지?
아니

무지무지 짧아서 단무지?
아니

무지무지 단단해서 단무지?
아니

그럼 뭔데?

새콤달콤 짭조름
단촛물에 절여서 단무지지

달래? 달래!

아휴, 졸려
달래
뭘 달래?
그냥 달래!
졸립다고!
그러니까 달래!
그러니까 뭘 달래?
달래가 춘곤증에 좋다고!

21

당근이지 당근

토끼야, 당근 먹을래?
당근이지

달팽이야, 상추 먹을래?
당근이지

고양이야, 생선 먹을래?
당근이지

개구리야, 파리 먹을래?
당근이지

왜 다들 당근만 좋아하는 거야?

대게 대개

세상에서 가장 맛있는 음식은?
대게

왜?
대개 대개 맛있으니까

꽃게보다
랍스터보다
대게가 대개 대개 맛있어

휘리릭 두부

김이 모락모락
물렁물렁 두부

두부를 가지고 부두에 갔어
부두에 가서 두부를 꺼냈지

걍걍 갈매기
휘리릭 두부를 낚아챘어

걍걍 걍걍 걍걍 걍걍 갈매기 떼
휘리릭 휘리릭 몰려들었어

앗!
난 쏜살같이 일어났어

아, 내 두부!
괜히 부두에 두부 가져갔어

~라면 라면

꼬불꼬불 고불고불
라면 먹자

백조라면 하얀 라면
까마귀라면 까만 라면

홍학이라면 빨간 라면
병아리라면 노란 라면

너라면 어떤 라면 먹을래?
나라면 꼬불꼬불 라면

꾸불꾸불 구불구불
라면 먹자

라라라라 라볶이

도도도도 도야지볶이
레레레레 레몬볶이
미미미미 미나리볶이
파파파파 파볶이

솔솔솔솔 솔볶이
라라라라 라볶이
시시시시 시금치볶이
도도도도 도라지볶이

오늘의 대상은
두구두구
라면과 떡볶이의 콜라보
라라라라 라볶이!

라조기

할머니 라조기 라조기
나 조기?
중국집에서 조기도 팔아?
아니, 라조기요!
에궁, 조기가 많이 먹고 싶구나
그게 아니라 라조기요
그래그래, 알았다
조기는 집에 가서 먹자
할머니 그게 아니라니까요!

강강수월래 레모네이드

셔! 셔! 셔!
강아지가 퉤
고양이가 퉤
모두 줄행랑치네

레몬이 훌쩍훌쩍
설탕과 물이 속닥속닥
레몬에게 귓속말을 했어

정말!

물속에 설탕이 사르르
물속에 레몬이 퐁당
섞어 섞어 강강수월래

레몬과 물과 설탕이 만나
레모네이드가 되었어

로제 소스

옛날 옛날 한 옛날에
평범한 토마토가 살았어
그 토마토는
특별한 토마토가 되고 싶었대

어느 날 토마토와 크림이 만나
소곤소곤 어쩌고저쩌고
땀이 송글송글 맺힐 때까지
의논했어

좋아!
좋아!

토마토와 크림이 섞여 로제를 만들기로 한 거야
특별한 토마토와 크림이 탄생한 거지

그날 이후 로제는 여러 음식에 초대받았대
뭔 줄 아니?

로제 파스타, 로제 떡볶이, 로제 리조또

신재림

동시는 아이들의 순수한 동심을 느낄 수 있는 문학인 것 같습니다. 말놀이 동시를 통해 아이들의 동심과 한 발 더 가까워질 수 있기를 바랍니다.
저서는 『파트라슈와 기적의 이야기』가 있다.

만나 두 만두

마지막 만두 하나
누가 먹을까?

형 몸이 더 크니까
형이 먹을까?

아니야 내가 더 작으니까
내가 먹을까?

탁! 탁! 스-윽
만두가 쩌-억

반쪽 만두 형 한 입
반쪽 만두 동생 한 입

둘이 만나 하나 만두
반쪽 만나-두 만두

미역국

미끌미끌 미역국
나는 미워요

큼 큼 바다 냄새
나는 미워요

생일마다 미역국
미워 미워 미워국

미소 가득 미역국
엄마는 사랑해

음 음 고소한 냄새
아빠도 사랑해

미소가 보글보글
사랑 가득 미역국

망고

달콤 새침 망고
콧방귀를 흥~

너 나 좋아하니?
흥~ 아님 망고

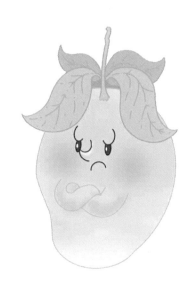

문어빵 조심!

너는 꼬리 없지?
붕어빵이 으쓱

너는 꽃잎 없지?
국화빵이 으쓱

동그랗고 작은 문어빵
쒸익 쒸익 화가 나요

붕어빵 꼬리 앙!
국화빵 꽃잎 앙!

화가 난 문어빵
앙 앙 물어빵!

묵 묵 숨어라!

가위 바위 보!
찌 묵 빠!

찌 찌 가위가 졌네?
아니야 묵이 졌어

말랑말랑 묵은
가위로 쑥 딱!

가위 바위 보!
찌 묵 빠!

보 보 보자기가 이겼네?
맞아 묵이 졌어

부끄럼쟁이 묵이
김 보자기 속으로 쏘 옥!

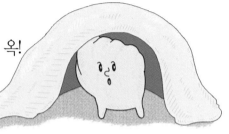

묵 묵 숨어라!
묵이 술~래!

보리밥

동그랗고 커다란
이상한 밥

동글동글 콩인가?
커~다란 쌀인가?

엄마 이게 뭐예요?
보리보리 보리쌀

아하! 마법에 걸린 쌀이구나
주문을 외우면 쌀이 될 거야

쌀밥이 되어라!
보리보리 쌀!

쉿, 몰래 빙수

땀이 뻘뻘 여름
너무 더워요

아빠가 웃으며
냉장고를 열어요

소복하게 쌓인 눈 위에
알록달록 이게 뭐지?

아빠 한 입 나 한 입
차가운 눈이 사르르 녹아요

아빠가 빙그레 웃으며
엄마 몰래 쉿!

빙수는 빙그레 웃으며 수잇!
몰래몰래 먹어야 하나 봐요

내 이름은 배추

아이 추워 앗 추!
감기 걸린 배가 기침을 해요

콜 록 콜 록
앗 추 앗 추

넌 이름이 뭐니?
내 이름은 앗 추 앗 추 뱃 추!

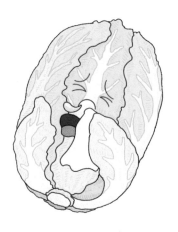

바지락

바 바 바지락
갯벌을 파 파 파지락

파지 마, 막 파지 마
숨어 있는 바지락

바 바 바지락
머리카락 보일락!

모두 모여 백설기

얼기설기 하나 설기
친구 손을 잡아요

얼기설기 둘 설기
친구 손을 잡아요

얼기설기 셋 설기
친구 손을 잡아요

친구들 모두 모여
얼기설기 백설기

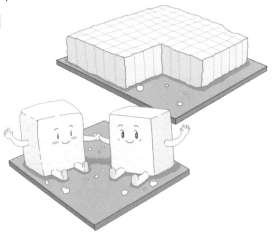

이의희

아이들의 마음이 궁금한 엄마입니다. 처음 써보는 말놀이 동시, 아이와 소통하는 다리가 되었으면 합니다.

저서로 동화 『타임머신이 아그작아그작』, 『꺼꾸로 갈매기』, 『청개구리는 울보 너튜버』, 『만개산 특급 작전』과 전자책 동화 『비밀사탕이 아그작아그작』, 『사랑해 토토』, 『청개구리의 너튜버 도전기』, 『배스야 한판 뜨자》 등을 썼습니다.

사과는 동글 가족

아기 사과 동글
엄마 사과 동글
아빠 사과 동글

동글 동글 동글
우리 가족은 동글 가족

아빠 닮아 빨갛게
엄마 닮아 빨갛게
아기는 날마다 빨갛게 익어가요

빨강 빨강 빨강
우리 가족은 빨강 동글 가족

수플레 만들래

휙휙 휙휙
만들래 만들래
달걀 거품 만들래

구름만큼 커졌네
구름만큼 부드럽네

휙휙 휙휙
치즈 넣고 휙휙 치즈 수플레
감자 넣고 휙휙 감자 수플레
요거트 넣고 휙휙 요거트 수플레
초콜릿 넣고 휙휙 초콜릿 수플레
뭐든지 넣어서 휙휙 뭐든지 수플레

휙휙 휙휙
고소한 수플레 만들래
부드러운 수플레 만들래

호랑이와 수수

옛날 옛날에
호랑이가 있었지

오누이를 잡아먹으려는
호랑이가 있었지

오누이는 동아줄을 잡고
하늘로 올라갔지

호랑이가 소원을 빌었어
하느님 하느님
동아줄을 내려주세요

호랑이가 잡은 동아줄이
하늘로 올라가다가
뚝 끊어졌지

아야야 아야야
호랑이는 수수밭에
떨어졌지

아야야 아야야
수수도 아파서
엉엉 울었지

천하장사 소시지와 시금치

소시지와 시금치가
힘 대결을 한대요

으랴차차 으랴차
팔씨름은 소시지가 이겼어요

으랴차차 으랴차
닭싸움은 시금치가 이겼어요

으랴차차 으랴차
누가 누가 이길까요?

으랴차차 으랴차
신나게 응원해요

소라게

소라게야 소라게야
바다에 사는
소라게야

뿌석뿌석 낡은
집을 이고 가는
소라게야

소라게야 소라게야
헌 집은 나 줄래
소라게야

반짝반짝
새집은 너 줄게
소라게야

오이

날씬 오이가 소풍을 가요

노랑 노랑 단무지랑
주황 주황 당근이랑
말랑말랑 달걀 손을 잡고
통통한 햄 손을 잡고
고슬고슬 흰 쌀밥 위에 누워
때구루루 때구루루
나풀나풀 까만 김을 두르고

토실토실 살찐 오이가 소풍을 가요
까만 김밥 친구랑 소풍을 가요

여의주 닮은 용과

소원을 들어주는 과일이 있대요

용용 놀리는 친구
앙앙 떼쓰는 친구

착한 친구 만들어 주세요
소원을 빌어요

오미자는 거짓말쟁이

빨간 오미자가 주렁주렁
포도알처럼 주렁주렁
한 알만 먹어보렴
달콤하단다

한 알을 딱새가 먹었지
아이! 써
한 알을 참새가 먹었지
아이! 매워
한 알을 뱁새가 먹었지
아이! 시어
한 알을 까치가 먹었지
아이! 짜

아니야 아니야
달콤하단 말이야
오미자는 엉엉 울었어

깡충깡충 뛰어가던
여우가 한 알 먹고
달아! 달아! 무지 달아!

오미자가 방실방실 웃으며
그것 봐! 진짜라니까!

뽕나무와 은행나무

방귀쟁이 뽕나무와
방귀쟁이 은행나무가
뽕 뽕 뽕
방귀를 뀌었어요

구리다 구려
방귀쟁이 뽕나무가
코를 잡았어요

구리다 구려
방귀쟁이 은행나무가
코를 잡았어요

뽕뽕 뽀옹 뽕뽕
누구 방귀가 더 구릴까요?

우유 젤라토

꽁꽁 꽁꽁
얼려주세요

살살 녹여 먹게
얼려주세요

눈처럼 하얗게
우유를 넣어서

꽁꽁 꽁꽁
얼려주세요

설탕을 넣어서
다디달게
오색별을 뿌려서
곱디곱게

한은숙

가천대학교에서 박사 공부를 했고, 동서울대학교 겸임교수, 가천대학교 미래교육원 외래교수를 했습니다. 현재는 어린이집 대표로 일하고 있으며, 공저로 동시집 『꿈꾸는 산책』, 『모음 말놀이 동시집』, 『자음 말놀이 동시집』, 『의성어 말놀이 동시집』, 『의태어 말놀이 동시집』등이 있습니다.

알알이 자몽

겉은 오렌지색 열대과일
속은 알알이 꽉 찬 붉은 알맹이
맛은 달콤 쌉싸름하지

새콤달콤한 알맹이
한입 깨물면
알맹이가 톡톡

달콤 쌉싸름해
아이 셔 아이 셔
눈이 살짝 감겨
입안에 침이 살짝 고여

후루룩 자장면

검은색은 자장면
빨간색은 짬뽕면
하얀색은 가락국수면

아빠는 달달한 자장면
엄마는 매콤한 짬뽕면
나는 시원한 가락국수면

후루룩 쩝쩝
후루룩 쩝쩝
색깔도 다르고
맛도 다르지만
하하하 깔깔깔
우리는 행복한 면사랑 가족

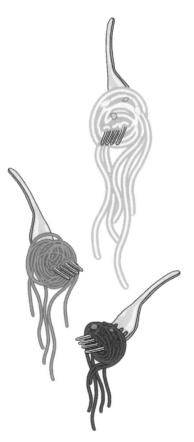

잔치잔치 국수

잔치 잔치 열렸네
우리 마을에 경사가 났네

길고 매끈한 하얀 면발 위에
매콤달콤 김치 넣고
달달 애호박 넣고
신선한 당근도 넣고
영양 만점 계란지단도 올리고
마지막 고소한 고기볶음 올리면
잔치국수 완성이요~~

오래오래 행복 하라는 잔치국수
아무리 바빠도 한 그릇 먹고 가세요

조물조물 잡채

시금치
당근
계란
고기
말랑말랑 당면

짭조름 간장 넣고
고소한 참기름 뿌리고
참깨 한 꼬집 톡톡
이 맛이 맛있는 잡채

아니 아니
조물조물 엄마 손맛 추가요
이 맛이 진짜 잡채 맛이지

알록달록 주스

우리 집 막내 야채 갈갈이
아침마다 야채가 쪼르르 줄을 선다
배고픈 야채 갈갈이
야채를 엄청 좋아해

와삭와삭 비트를 삼키면
빨강 주스가 쪼르르
와삭와삭 당근을 삼키면
주황 주스가 쪼르르
와삭와삭 파인애플을 삼키면
노랑 주스가 쪼르르
와삭와삭 케일을 삼키면
초록 주스가 쪼르르

와삭와삭
블루베리를 삼키면
파란 블루 주스가 쪼르르 나올까
알쏭달쏭
블루베리 주스

참치 꼬마김밥

흰 밥 위에
참치
단무지
깻잎
까만 김에
도르르 말아주면
한입에 쏙 들어가는 꼬마김밥

누가 누가 제일 맛있지??
참치가 고래고래
참치 참치!!!
그래서 참치 꼬마김밥이지

호랑이와 찹쌀떡

살금살금
떡 하나 주면 안 잡아먹지
살금살금
떡 하나 주면 안 잡아먹지
호랑이가 떡을 좋아한대

살금살금
나는 밤마실을 좋아해
살금살금
떡 좋아하는 호랑이는 밤마실도 좋아할까

그래그래
밤마실 나갈 때는
찹쌀떡 챙기기

밤마실 나가다 호랑이를 만나면
찹쌀떡 하나 주고 얼른 도망쳐야지

김가루 꽃 청포묵

하얀 녹두 앙금 덩어리가
뜨거운 물에 쏘옥
물 샤워하고 탱글탱글 젤리가 되었네

싹둑싹둑 썰어서
조물조물 참기름 샤워하고
짭조름한 김가루 올리고
깨소금 톡톡톡 뿌린다

보들보들 말랑말랑
하얀 청포묵에
김가루 꽃이 피었네

달달구리 초콜릿

달콤 쌉싸름한
초콜릿 파티다
누가 누가 제일 맛있을까

아빠는
카카오 맛이 최고인 다크초콜릿
쌉싸름한 맛이 최고지
엄마는
우유 맛이 최고인 밀크초콜릿
영양 높은 우유 맛이 으뜸이지
나는 나는
하얀 화이트초콜릿
달달한 맛이 짱이야

그래그래
초콜릿은 달달한 맛이 최고지
달달한 화이트초콜릿이 으뜸이야

그거 알아?
달달구리 초콜릿은
입속 충치균이 제일 사랑하는 간식이래

치즈 가족

월요일에는 치즈 피자
화요일에는 치즈 김밥
수요일에는 치즈 샌드위치
목요일에는 치즈 떡볶이
금요일에는 치즈 그라탕

토요일에는 치즈 도시락 싸서
나들이 가는 날
다 같이 환하게 "치즈" 찰칵

남궁기순

유아교육을 전공하고 시인, 작가로 활동하고 있습니다. 나래PBL교육 연구소 소장과 상상나래 출판사를 운영하며 그림책, 동화책을 만들고 있습니다. 『행복한 동행』, 『엄마를 위한 그림책 인문학』, 『영원한 껍딱지!』, 『네 귀는 특별하단다』, 『솔방울의 꿈』 등 책을 펴냈습니다. 21년 샘문에서 시부문 신춘문예에 '살만한 세상' 이 당선되었습니다.

71

카카카카 카레

카카카카 카레
카레는 카레
카레는 먹어도 먹어도 맛있어
카레는 우리 집 황금 레시피
카레도 노랗고, 황금도 노랗지
아기 똥도 노래!

턱수염 아빠는 카레덮밥
꼬불꼬불 파마머리 엄마는 닭가슴살 카레
꼬부랑 지팡이 할아버지는 얼큰한 카레 우동
공부하는 오빠는 매콤달콤 단호박 카레
놀기좋아하는 언니는 새콤한 사과 카레
귀여운 우리 아가는 카레라이스

카카카카 카레
카레는 카레
꼬꼬닭 키친카레 누가 먹을래?

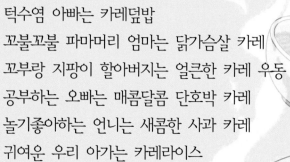

카라멜 콘 땅콩

고소 고소한 맛
부드러운 맛
달달한 맛
달콤한 맛
사르르 녹는 맛
달다구리 과자 카라멜 콘

땅콩 한 개 와삭
땅콩 두 개 와사삭
땅콩 세 개 와사사삭
땅콩 네 개 와사사사삭
땅콩 다섯 개 와사사사삭

사르르 녹는 카라멜 콘
땅콩 땅콩 땅콩
부드럽고 달콤한 맛
입안에서 달달 사르르
카라멜 콘 카라멜 콘 땅콩

콩

생김새도 제각각
콩 콩콩 콩이 달라 생김새가 달라
킁 킁킁 냄새도 제각각
콩 콩콩 콩이 달라 냄새가 달라

알맹이가 톡톡
데구르르르 콩 콩콩
둥글둥글 데구르르르
길쭉길쭉 데구르르르

이것은 내 콩
저것은 니 콩
옛다!
콩주머니 열어라
콩 받아라 콩 콩콩

콩나물시루

커다란 항아리에 노란 콩나물
콩나물을 잔뜩 싣고
웃고 있는 항아리 아저씨

노란 콩나물이 쑥쑥 쑥쑥
위로 반듯반듯 기다란 콩나물 대가리
항아리 속 노란 콩나물

콩나물시루 속 노란 콩나물
콩나물국에 풍덩
해물탕에 풍덩
삼겹살에 콩나물 듬뿍
밀가루 반죽에 맛있는 콩나물 전
아삭아삭 콩나물무침
콩나물시루 아저씨가 허허 웃으며 흔들흔들
콩나물시루도 흔들흔들
신이 난 노란 콩나물

킥킥 바나나킥

킥킥 바나나킥
바나나가 바나나
바나나가 킥
바나나가 킥킥
바나나가 웃어?

킥킥 바나나킥
바나나가 바나나
바나나가 킥
저리 비켜 바나나킥이야
바나나가 발로 차네
말로 해!

킥킥 바나나킥
바나나가 바나나
바나나킥
바나나 맛에 달콤한 엿이랑
흐물흐물 바나나킥
슛 골인!

탕수육

돼지고기 싹둑싹둑 썰어
하얀 옷을 뒤집어쓰고
기름칠하고 통통 튀어 오르는
탕 탕 탕수육이야

새콤한 물에 몸도 씻고
커다란 동굴 속으로
기다란 막대기가 아작아작
탕 탕 탕수육이야

탕후루 후루 딸기맛

딸기 마을 잔치 열렸네
딸기 딸기 딸기
딸기 마을 딸기
딸기와 꼬챙이가 만나 잔치 열렸네
딸기 딸기 딸기
딸기 마을 딸기와 꼬챙이 마을 꼬챙이
딸기가 좋아
꼬챙이가 좋아
딸기 꼬챙이 딸기 꼬챙이
꼬챙이와 딸기
탕후루 후루 딸기 맛
딸기에 탕후루루루루루

토란

하얀 토란 미끈미끈
물속으로 잠수
새콤한 식초 부르르르

소고기 싹둑싹둑
하얀 무는 네모 반 듯 척척
대파는 어슷어슷
들깨 한 움큼 풍덩
마늘, 후추 토란 이야기

보슬보슬 하얀 토란
꿀꺽꿀꺽
시원하게 캬아아악

톳

톳이야
사슴 꼬리니?
톳이야
잎이니?
톳이야
바다나물이니?

톳이야
뿌리로 서서 있지
톳이야
가지도 나와
톳이야
초록 잎처럼 보여
바닷속에 사는 톳이야
달콤하고 짭조름해
아구아구, 맛 좋은 톳이야

튀김

바싹바싹 튀김
줄 서봐!
나란히 나란히 서봐!
바싹바싹 튀김
오징어튀김 나가
새우튀김 나가
닭튀김 나가
감자튀김 나가
만두 튀김 나가
상추 튀김 나가
김 튀김 나가
개구리튀김 나가
앗, 뜨거워!
개구리 나가
바싹바싹 튀김 똑바로 줄 서봐!

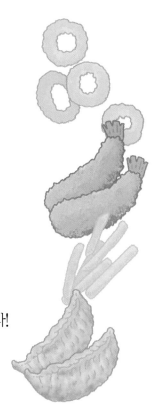

권숙희

작가, 시낭송가, 강사입니다. 상상나래출판 부대표, 나래PBL교육연구소 연구교수로서 '힐링낭독회'를 이끌고 있습니다.

저서로 『삶의 품격, 시낭송으로 꽃피다』, 『엄마라는 바다』, 동화 『한여름 밤의 가출』, 『방구뽕 삼총사』, 『오복이』, 『나도 할머니 있거든!』, 『모음 말놀이 동시집』, 『자음 말놀이 동시집』, 『의태어 말놀이 동시집』 등을 썼습니다. 유튜브 '권숙희의 감성채널' 운영하고 있습니다.

꽃 팝콘

전쟁이 났어요
전쟁이 났어요
꽃나무에 전쟁이 났어요

톡 톡 토독 톡
토독 톡톡 톡 톡

하얀 폭탄 꽃 폭탄이
서로 먼저 피겠다고
올해도 난리가 났어요

팥죽 먹고 으쌰쌰

어슬렁어슬렁 호랑이 나타나
—어흥, 할멈을 잡아먹어야겠다!

통 통 알밤
엉금엉금 자라
철퍼덕 철퍼덕 개똥
뾰족뾰족 송곳
쿵 쿵 맷돌
털썩털썩 멍석
뒤뚱뒤뚱 지게

할머니가 쑨 팥죽 먹고
으쌰쌰 힘을 합쳐
할머니를 살렸대

할머니는 어떻게 됐냐고?

해마다 동짓날이면
팥죽 잔치 열어서
이웃과 오래오래 행복하게 살았대

바삭바삭 프라이드치킨

프라이드가 좋아 양념이 좋아?

엄마와 내 동생
바삭바삭 고소한
프라이드치킨에 한 표

아빠와 나
매콤달콤 화끈한
양념치킨에 한 표

좋아하는 것 달라도
프라이드 반 양념 반
언제나 우리 집은
행복한 반반 가족

따끈따끈 피자

따끈따끈 피자
한 입 베어 물면
쭉~쭉~ 늘어나는
기다란 치즈

끊어지면 안 돼
끊어지면 안 돼

무섭게 달려오는
동굴 같은 입속으로
풍덩!

귀하신 몸 피망

매운맛 없는 단고추
나는 나는 귀하신 몸

빨강 노랑 주황 초록
눈에 띄는 색깔에
아삭아삭 식감까지
눈코입귀 좋아하는
귀하신 몸, 피망

피자 나와!
볶음밥 나와!
소시지야채볶음 나와!
고추잡채 나와!

이 귀하신 몸 덕분에
사랑받는 음식 많네

* 피망과 파프리카는 같은 종이며 피망은 프랑스어이고 파프리카는 네덜란드어이다.

따봉 따봉 한라봉

한라봉아,
넌 왜 한라봉이야?
–한라산 닮아서 한라봉이지

한라봉아,
네 맛은 어떠니?
–새콤달콤 따봉*이지

작은 한라봉 으쓱으쓱
고개를 치켜드니
큰 한라산이 뒤에서 움찔한다

* 따봉은 "좋다" 라는 뜻을 가진 포르투갈어이다.

핫도그 주세요

길쭉길쭉 핫도그
둥글둥글 핫도그
울퉁불퉁 핫도그
맨질맨질 핫도그
빨간 캐첩 핫도그
노란 머스타드 핫도그
하얀 설탕 핫도그
치즈 듬뿍 핫도그

아저씨 핫도그 주세요
뭘로 줄까?
제일 맛난 거요

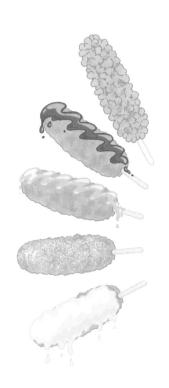

해삼멍게말미잘

해삼멍게말미잘!
친구 놀릴 때 이런 말
이제는 안 돼
생긴 모양 우습다고
얕보면 안 돼

산에는 산삼
바다에는 해삼
옛날부터 해삼은
'바다의 산삼' 별명처럼
귀한 대접 받았지

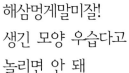

해삼멍게말미잘!
생긴 모양 우습다고
놀리면 안 돼

죽죽 호박죽

죽 죽, 죽 끓이자
보글보글 죽 끓이자
팥죽, 콩죽, 잣죽
보글보글 죽 끓이자

죽 죽, 죽 끓이자
부글부글 죽 끓이자
참깨, 들깨, 녹두죽
부글부글 죽 끓이자

죽 죽, 죽 끓이자
보글부글 죽 끓이자
둥글호박 죽 끓여서
할머니께 드리자

까치밥 홍시

감나무 가지 끝 빨간 홍시
까치들의 겨울 양식

할아버지 깊은 마음
까치밥으로 남았어요

세찬 바람 불어와도
끄떡없는 까치밥

김차순

세 아들을 둔 엄마다. 세 아이와 함께 시작했던 독서모임을 20년이 지난 지금까지도 하고 있다. 어린이 독서지도, 엄마책상갖기 독서모임과 아버지 독서모임 연구원 활동을 하였다. 독서는 나에게 성장과 성숙을 만들어 주는 디딤돌이 되었다. 현재는 품성독서경영지도자로써 책과 품성으로 꿈을 선물하고자 청소년 지도와 그림책하브루타지도자로 활동하고 있다.
저서는 『그림책이 있는 마음 우체통』, 『그림책으로 나를 에세이하다』 이 있다.

꼬치전

길쭉길쭉한 꼬치에
길쭉한 햄 하나
길쭉한 오징어 다리 둘

길쭉한 햄 하나
꼬부랑 꼬부랑 새우 한 마리
길쭉 길쭉 파 둘

노랑노랑 계란옷 입혀
지글지글 기름 속으로
지글지글 구수한 소리

꼬아꼬아 꽈배기

길쭉길쭉 길쭉 두 엿가락이 되어
동글동글 동글동글 기둥이 되어

돌돌돌돌 돌돌돌돌
서로 엉키고, 엉키고
엉키어 넝쿨손이 되고

서로서로 기둥이 되어
두 줄 나란히
서로서로 다정하게
말아 올린 꽈배기

하얀 눈 설~~탕
살짝이
내 입에서 톡, 톡, 톡

돌돌돌 꽈배기
엄마사랑 이야기
아빠사랑 이야기
아기사랑 이야기

돌돌돌 꽈배기
봉지에 담아 곱게곱게
엄마에게 주려고 성큼성큼 걸어요

돌돌돌 꽈배기
봉지 속에서 바스락 흔들흔들
별 돌돌 꽈배기
우리 아기 두 손에 은빛 별 가득
우리 아기 입술에 금빛 별 가득

떡볶이

딩동딩동
신발 벗어 던지고, 가방 던지고
배고파, 배고파요

맛있는 간식 빨리빨리

후다닥 냉장고에서
길쭉길쭉한 가래떡을 꺼내
네모난 오뎅

팔팔 끓은 물에
동동 멸치육수
달짝지근한 맛 양배추 한 움큼
주홍 당근 싹둑싹둑

빨아간 고추장 한 스푼에
양념을 넣고
대파를 가위로 쫑쫑 썰어
자글자글

쏭쏭 통깨 뿌리고
솔솔 치즈가루 뿌리면
빨아간 치즈 떡볶이 완성

호호, 맛있게

떡국 먹고 한 살

까치 까치 설날은 어저께고요
우리 우리 설날은 오늘이래요

우리 우리 설날은 떡국 먹고요
우리 우리 우리는 한 살 먹지요

우리 우리 우리는 언니 되고요
저기 저기 저기는 오빠 되어요

뻥이요! 뻥튀기

뻥, 뻥이요
리어카에 하얀 연기 뿜으며
뻥이요~ 뻥

잔디밭 공원 옆 아저씨의
힘찬 목소리

뻥이요
동글동글 쟁반만 한 뻥튀기하나

아삭아삭 한 입 물고,
아삭아삭 두 입 물고

아삭아삭, 아삭아삭
남은 한 조각 혀 끝에서
사르르륵

뿌셔뿌셔 뿌셔라면

내 봉지 라면 뿌셔뿌셔
빠스스, 빠시식, 빠작작
뿌셔뿌셔

첫길 따라 걸어간 길
내 손에는 뿌셔뿌셔 한 봉지
뿌시고 뿌시고
흔들고 흔들고
면 흔들고, 수프 흔들고

입 벌려 한 움큼 뿌지직 뿌지직
엄마 몰래 먹던
잊지 못할 맛이다

철길 따라 따라가 본 길
내 손에 뿌셔 봉지 하나

다 뿌시고, 더 뿌셔서, 다 뿌셔뿌셔

쑥버무리

봄이다, 봄이다
봄바람 따라 피어오르는 쑥~쑥쑥이

쑥쑥 자라서 쑥
마음도 쑤욱
몸도 쑤욱

쑥 한 움큼
멥쌀가루 한 움큼
소금 쬐금
설탕 쬐금

쑥쑥 버무리자
쑥쑥 더 버무리자
쑥쑥 김이 모락모락

솥뚜껑을 열어보니
쑥버무리 한 움큼
향긋한 쑥 내음 쑥쑥 올라오고
모락모락 김 내음에 쑤욱쑤욱

봄 내음에 쑥쑥 쑥버무리
솔솔 봄 향기 날리고
쑥쑥 쑥 내음 쑥 향기

짜짜 짜짜구리

후루룩
후루룩룩
아빠가 좋아하는 짜장 짜짜구리

후 루룩
후~ 루우룩
엄마가 곱게 먹는 너구리 짜짜구리

후루루루루루루루
후루루룩룩룩룩
숨도 쉬지 않고 후루룩
다짜고짜 후루루룩
개구쟁이 우리 아들 허겁지겁

맛있어, 맛있어, 정말 맛있어
후루룩, 후루룩 짭짭, 후루루룩룩 짭짭

우리집 짜짜구리

찐빵 메뉴

찐, 찐, 찐이야
찐빵

쑥, 쑥, 쑥이야
쑥찐빵

수수, 옥수수, 옥수수야
옥수수찐빵

달콤, 달콤, 달콤 딸기야
달콤딸기찐빵

고소, 고소한, 고소해
우유찐빵

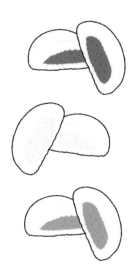

쫄면 안돼 쫄면

쫄깃쫄깃 면
싹둑싹둑 오이
아삭아삭 콩나물
새콤새콤 매실청 한 방울
고소한 참기름 두 방울

빨아간 고추장 한 스푼
터질 듯 말 듯 계란 반쪽이

젓가락 휘리릭 휘리릭
새콤달콤 쫄 쫄 쫄면

호호호 불어가며 먹는 쫄 쫄 쫄면
언제나 먹어도 맛있는 쫄면 안돼 쫄면

날려버려라
날아가버려라
나의 스트레스

확 날려벌려라
쫄면 안돼 쫄면

상상나래 동시세상8
음식 말놀이 동시집

발 행 일   2024년 7월 15일
지 은 이   권화숙, 이정아, 신재림, 이의희
            한은숙, 남궁기순, 권숙희, 김차순
기획관리   권숙희, 김기선
마 케 팅   박경숙, 이정아
편집총괄   장명화
펴 낸 이   남궁기순 **펴낸곳** 상상나래 **등록번호** 제2022-000051호
주   소   서울시 강동구 동남로81길 96, 501호
대표전화   02-441-7682
이 메 일   sangsangnarae@ssnbooks.com
I S B N   979-11-7195-036-2   73810

ⓒ상상나래, 2024
이 책의 출판권은 상상나래에 있습니다.
이 책은 저작권법에 의해 보호를 받는 저작물이므로 무단 전재와 복제
를 금지합니다.

값 12,200원

(a)